Pour Billy, Boo et Betty

Texte traduit de l'anglais par Elisabeth Duval

Titre de l'ouvrage original: MOO, MOO, BROWN COW HAVE YOU ANY...
Editeur original: ABC, All Books for Children
a division of The All Children's Company Ltd.
Texte © 1991 Jakki Wood
Illustrations © 1991 Rog Bonner
Pour la traduction française: © Kaléidoscope
Loi n° 49.956 du 16 juillet 1949 sur les publications
destinées à la jeunesse: septembre 1991
Dépôt légal: septembre 1991
Imprimé par Imago Services, Hong Kong, Chine
ISBN: 2-87767-046-5

Diffusion l'école des loisirs

meuh, meuh, vache rousse, n'as-tu pas...

Texte de Jakki Wood

Illustrations de Rog Bonner

kaléidoscope

... un veau?
oui chat, oui chat...
1 veau tacheté.

bèe, bèe,
brebis noire...
as-tu
des
agneaux?

oui chat,
oui chat...
2 agneaux
jolis.

brèe, brèe, chèvre jaune...
as-tu des petits?

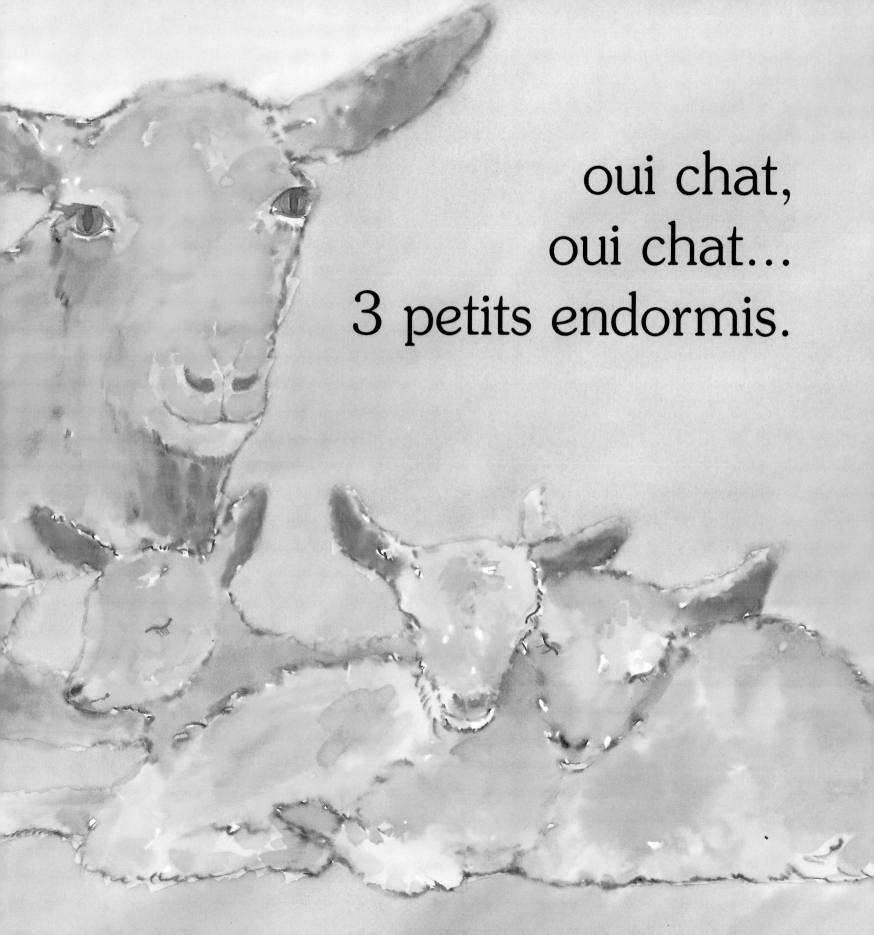

oui chat,
oui chat...
3 petits endormis.

coin, coin,
cane blanche...
as-tu des
canetons?

oui chat, oui chat...
4 canetons
duveteux.

quwack, quwack, oie bleue...
as-tu des
oisons?

oui chat, oui chat...
5 oisons dodus.

cot, cot, poule orange...
as-tu des poussins?

oui chat,
oui chat...
6 poussins
bruyants.

grronk, hronk,
truie rose...
as-tu des
cochonnets?

oui chat, oui chat...
7 cochonnets
affamés.

croaaak, croaaak,
grenouille verte...
as-tu des
enfants?

oui chat, oui chat...
8 enfants bien remuants.

ouaf, ouaf,
chien rouge...
as-tu des
chiots?

oui chat, oui chat...
9 chiots jappeurs.

gloups, gloups,
truite arc-en-ciel...
as-tu des
petits poissons?

oui chat,
oui chat...
peux-tu
les compter?

miaou, miaou,
petit chat...
as-tu des
chatons?

pas de chatons,
pas de chatons...
mais beaucoup,
beaucoup d'amis.